Pascale Bouchié •

LA VÉRiTABLE HiSTOiRE
de Marcel
soldat pendant
la Première
Guerre mondiale

bayard poche

À mes grands-parents,
Angèle et Barnabé Jacquet-Bouchié,
Marcelle et Gabriel Delfayet-Bénech.
P. B.

La véritable histoire de Marcel a été écrite par Pascale Bouchié
et illustrée par Cléo Germain.
Les lettres de Marcel sont inspirées de vraies lettres de soldats.
Celle datée de mai 1917 contient un extrait du livre *Paroles de poilus*, éditions Librio.
Maquette : Natacha Kotlarevsky.
Texte des pages documentaires : Pascale Bouchié.
Illustrations : pages 10-11 et 36-37 : Nicolas Wintz ;
pages 20-21 et soldat allemand page 36 : Benjamin Strickler.
Photos : Keystone-France/Gamma Rapho, sauf page 43 : Shutterstock.com.
La collection « Les romans Images Doc » a été conçue en partenariat
avec le magazine *Images Doc*.
Ce mensuel est édité par Bayard Jeunesse.

© Bayard Éditions, 2014
18 rue Barbès, 92120 Montrouge
ISBN : 978-2-7470-5136-1
Dépôt légal : mars 2014
Imprimé en France par Pollina s. a., 85400 Luçon - L67628.

CHAPiTRE 1

GRETEL

Gabrielle assied sa poupée alsacienne sur le sol. Puis elle recule de deux pas et se plaque contre le mur de la ferme :

– Dis-moi, Gretel, est-ce que je suis bien droite ?

La poupée semble dire oui. Avec un vieux clou, Gabrielle inscrit une marque dans le mur, juste au sommet de son crâne. Puis elle reprend Gretel dans ses bras et contemple la toise :

−Nous sommes le 11 octobre 1919. Mon frère Marcel a aujourd'hui 20 ans. Avant qu'il parte à la guerre, nous avions inscrit nos tailles sur ce mur. Je l'aurai bientôt rattrapé…

Mais Gabrielle est interrompue dans son babillage par une grosse voix qui l'appelle :

−Gabrielle, où es-tu ?

La fillette plaque Gretel contre sa poitrine et s'enfuit sans faire de bruit. Elle court sous les cèdres derrière la maison et pénètre par une petite trappe dans le crib* à maïs.

−Tonton Germain veut que je rentre les oies. Mais je déteste ces sales bêtes qui me mordent les mollets, explique-t-elle à sa poupée.

Elle aménage une cachette confortable au milieu des épis de maïs. Puis elle entrouvre son tablier et en sort un paquet de lettres qu'elle porte contre son cœur.

−Bientôt un an que la guerre est finie et Marcel n'est toujours pas rentré ! Pourtant je suis sûre qu'il est vivant ! Je vais te lire des lettres qu'il m'a envoyées pendant qu'il faisait la guerre.

* *Grenier grillagé où le maïs est stocké en plein air.*

« *Le 15 octobre 1916,*

Ma petite sœur chérie,

Je suis parti pour m'engager dans l'armée. Je n'ai que 17 ans, mais la France a besoin de tous ses hommes pour reprendre l'Alsace-Lorraine aux Boches*. Notre chère maman qui était alsacienne et papa nous regardent de là-haut et je suis sûr qu'ils sont fiers de notre courage. Ne t'inquiète pas pour moi. En tant qu'apprenti boulanger, je ferai le pain pour les soldats et je ne combattrai pas.

Ton frère Marcel »

* *Surnom péjoratif donné aux Allemands par les Français.*

Gabrielle replie sa lettre et lisse les rubans noirs de la coiffe de sa poupée :

– Tu sais, Gretel, maman est morte quand j'étais petite. Elle m'avait offert une poupée alsacienne en souvenir de son pays natal. C'est pour reconquérir l'Alsace que Marcel s'est engagé !

Puis elle choisit une autre lettre dans son paquet :

« *Mars 1917,*

Ma chère Gaby,

J'ai bien reçu ton colis et je te remercie pour la saucisse,

la confiture et pour la belle écharpe que tu m'as tricotée. Elle me tient bien chaud. Je suis maintenant soldat dans le 170ᵉ régiment d'infanterie. Je vis dans une tranchée où on peut passer debout sans être vu. Il y a bien un mois que je ne me suis pas déshabillé et que je n'ai pas enlevé mes chaussures, même pour dormir !

Dans ta lettre, tu me dis que l'armée a réquisitionné Naseau, le vieux cheval de l'oncle Germain. Ces pauvres bêtes font aussi la guerre, en tirant les canons.

Notre régiment a une mascotte, un chat nommé Grisou.

Je t'embrasse de grand cœur,

ton frère Marcel »

Des pétales fanés s'échappent de la troisième lettre. Gabrielle les ramasse avec précaution et lit à haute voix :

« Mai 1917,

Ma bonne petite sœur,

Tu me demandes si je peux te rapporter un casque à pointe de Prussien. Vois-tu, Gaby, les Prussiens sont comme nous. Que dirais-tu si un garçon prussien demandait à son père un képi français et que ce képi fût le mien ? À la place, je t'envoie des fleurs de primevère. Je les ai cueillies près d'un moulin où nous sommes au repos.

Ma sœurette, j'espère avoir une permission et être là pour ton anniversaire.

Marcel qui t'embrasse fort »

Gabrielle montre sa main droite à Gretel :

– Pour mes 10 ans, Marcel m'a offert cette bague. Elle est fabriquée dans un éclat d'obus. Tu vois, il a gravé mes initiales. Moi aussi, je lui ai confectionné un cadeau porte-bonheur. Il était si triste en repartant… Il m'a dit

suite page 12

L'ENTRÉE EN GUERRE

Une Europe divisée

En 1914, de vieilles rivalités opposent les États d'Europe. Les Allemands se sentent menacés par les Russes. La Russie veut protéger les Slaves qui sont dominés par l'Autriche-Hongrie. Les Français désirent reconquérir l'Alsace-Lorraine, annexée en 1870 par l'Allemagne... Quand l'archiduc d'Autriche est assassiné en juin 1914, l'Europe bascule dans la guerre à cause des accords entre les pays.

La Première Guerre mondiale

D'un côté, il y a la France, la Russie et le Royaume-Uni ; de l'autre côté, l'Allemagne et l'Autriche-Hongrie. En août 1914, l'armée allemande envahit la Belgique et pénètre en France. Tous les Français âgés de 20 à 48 ans doivent rejoindre l'armée : ils sont mobilisés.

Les réquisitions

Des milliers de chevaux sont confisqués pour servir l'armée. Ils portent les cavaliers et tirent du matériel. Du bétail, des pommes de terre, du blé sont aussi pris pour nourrir les soldats.

Le front et les tranchées

Des combats violents ont lieu dans le nord et l'est de la France. Des milliers de familles fuient la zone des combats et se réfugient un peu partout en France. À la fin de 1914, les armées s'installent sur une ligne qui va de la Suisse à la mer du Nord : c'est le front. Des deux côtés de cette ligne, les soldats creusent des fossés profonds pour se protéger des tirs ennemis, les tranchées.

ARMÉE DE TERRE ET ARMÉE DE MER

ORDRE DE MOBILISATION GÉNÉRALE

Par décret du Président de la République, la mobilisation des armées de terre et de mer est ordonnée, ainsi que la réquisition des animaux, voitures et harnais nécessaires au complément de ces armées.

Le premier jour de la mobilisation est le Dimanche 2 Août 1914

Tout Français soumis aux obligations militaires doit, sous peine d'être puni avec toute la rigueur des lois, obéir aux prescriptions du FASCICULE DE MOBILISATION (pages coloriées placées dans son livret) ;

Sont visés par le présent ordre TOUS LES HOMMES non présents sous les Drapeaux et appartenant :

I° a l'ARMÉE DE TERRE y compris les TROUPES COLONIALES et les hommes des SERVICES AUXILIAIRES ;

2° a l'ARMÉE DE MER y compris les INSCRITS MARITIMES et les ARMURIERS de la MARINE.

Les Autorités civiles et militaires sont responsables de l'exécution du présent décret.

Le Ministre de la Guerre.   Le Ministre de la Marine.

Sur cette affiche, on peut lire la date de la mobilisation : le 2 août 1914.

UN CHAMP DE BATAILLE

Le signal d'assaut a été donné : les soldats sortent des tranchées pour combattre.

1. Une tranchée de soutien : les soldats y vivent quand ils ne sont pas en première ligne.

2. Un poste de secours : on y dépose les blessés avant de les évacuer vers un hôpital.

3. Un boyau : ce fossé étroit permet de passer d'une tranchée à l'autre.

4. Une cagna : ce petit abri permet à des soldats de se protéger du froid et de la pluie.

5. Une tranchée française de première ligne : c'est la plus proche des tranchées allemandes, donc la plus dangereuse. Elle mesure 2 mètres de profondeur.

6. Des barbelés et des sacs de terre : ils protègent le sommet de la tranchée.

7. Une échelle : elle permet aux soldats de sortir de la tranchée pour monter à l'assaut.

8. Un obus qui éclate : il a été lancé par un canon ennemi situé à plusieurs kilomètres. En explosant, il tue des soldats.

9. Un tirailleur sénégalais : ce soldat africain combat aux côtés des Français.

10. Le no man's land : cette zone sépare les deux camps ennemis. Parfois, elle ne mesure que 10 mètres de large.

qu'il était heureux que je sois une fille pour que je ne voie pas les horreurs qu'un homme peut voir à la guerre.

Songeuse, Gaby regarde le soleil qui se couche derrière les grands cèdres. Alors qu'elle se décide à rentrer, elle perçoit des éclats de voix venant de la cour de la ferme.

CHAPiTRE 2

TiERNO

À toute vitesse, Gabrielle file se cacher dans le lavoir. De là, elle ne voit rien mais elle entend une voix inconnue :

– Mais puisque je vous dis que je viens de la part de Marcel…

L'oncle Germain proteste :

– Tout ça, c'est des bobards ! Trop facile de faire parler les morts !

– Marcel m'a confié quelque chose pour sa sœur…

– Fiche le camp d'ici et rentre chez toi, sale étranger !

Un silence. Gaby perçoit le pas lourd de l'inconnu puis le bruit d'une bicyclette sur les cailloux du chemin. « Vite, il faut que je le rattrape… » Elle court à travers le pré, saute le fossé et se poste dans le virage, au moment où surgit la bicyclette. Celle-ci fait une embardée pour éviter la fillette et plonge dans le bas-côté. Gaby se précipite vers l'homme qui est tombé au milieu des orties, mais elle recule, stupéfaite : un colosse à la peau noire la dévisage sans rien dire.

Puis un large sourire montre l'éclat de ses dents blanches :

— Toi, tu n'as jamais vu un Noir de ta vie ! lance l'étranger. N'aie pas peur de moi, Gabrielle…

Effrayée, la fillette ne prononce pas un mot.

— Tu es bien Gabrielle, la sœur de Marcel ? insiste le grand Noir.

Gaby fait oui de la tête.

— Moi, je m'appelle Tierno, dit l'homme en lui tendant le bras. Tu m'aides à sortir du fossé ?

Gabrielle trouve le courage de saisir à deux mains le poignet de Tierno et elle tire de toutes ses forces pour l'aider à se relever. Intimidée, elle l'observe déplier son mètre quatre-vingt-quinze et dépoussiérer ses vêtements. Le géant se penche vers elle et lui dit :

— La nuit tombe et ton oncle va s'inquiéter si tu ne rentres pas. Y a-t-il un endroit où je pourrais dormir ?

Gabrielle retrouve ses esprits et elle guide l'homme vers le pigeonnier. Elle désigne l'échelle et murmure :

— Cachez-vous là. Je reviens…

À la ferme, le dîner se passe sans un mot. La soupe, un bout de fromage, et au lit ! Dès qu'elle entend les ronflements de son oncle, Gaby se relève. Doucement, elle quitte sa chambre et sort de la ferme sans faire de bruit. Elle passe par la remise pour remplir un panier de provisions. Puis elle file au pigeonnier où, là aussi, des ronflements sonores retentissent. Gabrielle s'assoit à côté du dormeur et observe son visage éclairé par la pleine lune. Intriguée par des marques gravées sur les joues de Tierno, elle les effleure du doigt.

– Mmm, ça fait longtemps que je n'avais pas été réveillé aussi doucement, dit l'homme en ouvrant un œil.

– Je ne voulais pas…, s'excuse Gaby. J'ai apporté à manger.

– Ah voilà une bonne nouvelle ! Je ne mange pas les petites filles, ajoute Tierno en faisant un clin d'œil, mais j'ai un appétit d'ogre !

Il saisit le panier et en dévore le contenu : des œufs frais, une miche de pain, du saucisson, des poires… Gabrielle l'observe :

– Marcel a bon appétit, lui aussi…

Tierno approuve de la tête et fait un nouveau clin d'œil :

– Mais je suis bien plus grand que lui et surtout beaucoup plus noir, hein ?!

– Je n'avais jamais vu d'homme noir, explique la fillette.

– Oui, j'ai bien compris, Gabrielle. Je viens d'Afrique, du

suite page 18

LA GUERRE AU JOUR LE JOUR

Les poilus

C'est le surnom donné aux soldats français. On les appelle ainsi parce qu'ils ne peuvent pas se raser tous les jours. Dans les tranchées, ils vivent entassés les uns sur les autres, sans pouvoir se laver. Ils sont dévorés par les puces et les poux et mordus par les rats qui pullulent autour d'eux.

Armes et uniformes

Le soldat français porte un uniforme de toile qui n'est pas imperméable et il est chaussé de godillots cloutés. Son équipement, appelé « barda », pèse 20 kilos et comprend une toile de tente, des vivres, une gourde d'eau, des outils, des cartouches... Ses armes sont un fusil Lebel, une baïonnette, des grenades. Un masque à gaz complète l'équipement.

Ces poilus, qui portent un masque à gaz, attendent l'assaut.

En première ligne

Dans ces tranchées les plus proches de l'ennemi, on monte la garde nuit et jour, avec la peur au ventre. L'eau et la nourriture manquent, car elles sont difficiles à acheminer. Les soldats savent qu'à tout moment ils peuvent mourir. Ils s'entraident. Quand l'un d'eux reçoit un colis, il partage avec ses camarades.

Les tranchées de soutien

Dans ces tranchées situées en arrière du front, les soldats sont moins menacés. Ils jouent aux cartes, écrivent à leur famille, trompent l'ennui en bricolant des objets, des instruments de musique... Tous les quatre mois, ils ont droit à six jours de repos chez eux : c'est la permission. Après avoir connu l'horreur des combats, ils sont heureux de retrouver leur famille. Mais très vite, ils doivent repartir.

Sénégal exactement. Les Français sont venus y enrôler des soldats… « La force noire », ils nous appellent.

– C'est vrai que vous avez l'air fort, chuchote Gaby.

– J'étais champion de lutte dans mon pays. Mais c'était avant la guerre…

Quand Tierno a avalé sa dernière poire, Gabrielle pose enfin la question qui lui brûle les lèvres :

– Alors vous connaissez Marcel ?

Le soldat noir raconte :

– En 1918, j'étais brancardier. Le poste de secours a été bombardé et enseveli sous de lourdes masses de terre. On était enterrés vivants !

Gabrielle se rapproche de Tierno qui poursuit :

– Mon nez et ma bouche se remplissaient de sable. J'ai pensé à ma mère qui ne saurait jamais où j'étais mort et ça m'a donné de la force ! J'ai réussi à libérer un bras, puis l'autre et à me sortir de là. Autour de moi, les obus pleuvaient mais j'entendais des coups frappés par un autre soldat enseveli. Alors j'ai creusé, creusé et j'ai trouvé Marcel…

– Alors vous avez sauvé Marcel ! comprend Gaby.

– Oui, Marcel et moi, nous étions les seuls survivants du poste !

CHAPiTRE 3

NÉNETTE

Le géant noir soupire puis il ajoute en ouvrant le col de sa chemise :

– En souvenir de ce jour terrible, Marcel m'a donné ça.

Gabrielle s'écrie :

– Nénette !

Une petite poupée de laine rouge pend autour du cou de Tierno. Il la détache et la tend à Gaby :

suite page 22

UNE VOITURE RADIOLOGIQUE

Des voitures comme celle-ci s'approchaient des zones de combat et prenaient les blessés en charge. On les appelait des « petites Curie » en hommage à Marie Curie. Cette grande scientifique a convaincu les militaires de pratiquer des examens radiologiques pour sauver des blessés.

1. Une infirmière :

elle porte un voile qui retient ses cheveux. Son uniforme est blanc.

2. Un soldat blessé :

grâce à l'examen radiologique, on repère la balle ou l'éclat

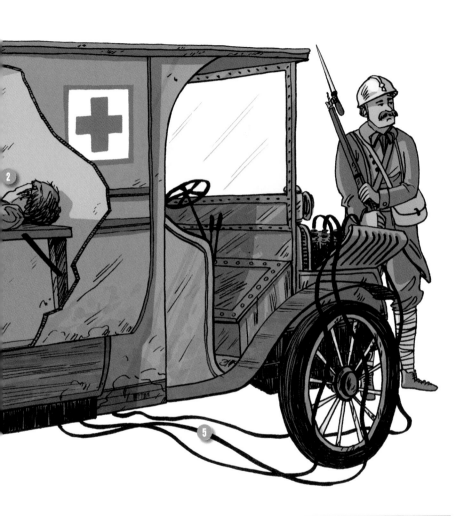

d'obus dans le corps du blessé. Le soldat peut être rapidement opéré et a plus de chances d'être sauvé.

3. Une bonnette :

cet appareil muni d'un écran permet de voir dans le ventre du blessé et de localiser une balle ou un éclat d'obus.

4. Le tube à rayons X :

cette ampoule en verre produit un rayonnement puissant, appelé rayons X.

Il permet de voir à travers le corps et d'en faire des photos.

5. Des câbles :

ils sont reliés au moteur de la voiture pour apporter du courant électrique.

– Marcel m'a raconté que tu lui avais fabriqué deux poupées porte-bonheur. Pour me remercier, il m'a donné Nénette et il a gardé l'autre.

– L'autre s'appelle Rintintin ! précise Gabrielle.

– Marcel et moi, on s'est promis de te rapporter ces deux poupées, après la guerre…

Gabrielle serre Nénette contre son cœur et demande d'une petite voix :

– Pourquoi Marcel n'est-il pas rentré ? Tonton Germain pense qu'il est mort mais, moi, je sens qu'il est bien vivant.

– Je vais te dire tout ce que je sais. Nous avons été évacués en train vers l'arrière. Mais, après un bombardement

aérien, un tunnel s'est effondré sur notre train. J'ai été grièvement blessé et longtemps inconscient. Quand j'ai repris mes esprits, la guerre était finie. Je n'avais pas de nouvelles de Marcel, et j'espérais qu'il était rentré chez vous, sain et sauf… J'ai traversé la France à bicyclette, pour te rapporter ce grigri*…

— Merci Tierno ! murmure Gabrielle. Je vais me coucher. La nuit porte conseil…

Épuisé, Tierno se rendort comme une masse, tandis que la fillette regagne sa chambre.

Le lendemain matin, Gabrielle fait une toilette de chat

Nom d'un porte-bonheur en Afrique.

et retrouve son oncle dans la cuisine. Il lui glisse un bol de lait crémeux sur la table.

– Merci tonton !

– C'est mardi, je vais au marché pour vendre les canards, lui rappelle Germain.

Dès qu'il est parti, Gabrielle file au pigeonnier. Au pied de l'échelle, elle siffle doucement. Le visage de Tierno apparaît, interrogateur.

– Vous pouvez descendre, l'oncle est absent pour la journée, lui lance la fillette.

Elle prend la main du géant noir et l'entraîne dans la maison où elle lui prépare un déjeuner copieux.

– J'ai bien réfléchi, Tierno. La dernière fois que vous avez vu Marcel, c'était dans le train. Où a eu lieu l'accident dans le tunnel ?

– Nous approchions du Crotoy, pas loin d'Amiens.

– Alors je vais y aller et mener une enquête pour retrouver mon frère.

– Et comment vas-tu faire ? demande Tierno, amusé par le ton décidé de Gaby.

– C'est simple : vous allez m'accompagner !

suite page 26

LA GRANDE GUERRE

Cette guerre a été surnommée la « Grande Guerre » en raison de sa durée, du nombre de morts et de sa dimension internationale.

Une guerre de position

En 1915, les soldats comprennent que cette guerre, qu'ils espéraient courte, va durer. Dans leurs tranchées, les deux camps campent sur leur position et progressent peu. De nouvelles armes sont utilisées par les Allemands : les lance-flammes et les gaz.

Verdun et la Somme

En 1916, des combats acharnés ont lieu. Autour de Verdun, en Lorraine, 720000 Allemands et Français sont tués ou blessés. Dans la Somme, en Picardie, 1 350 000 soldats sont tués ou blessés. Les premiers chars d'assaut mis au point par les Britanniques apparaissent sur les champs de bataille.

Dans les airs

Pour la première fois, les avions jouent un rôle dans la guerre. Leur première mission est l'observation : les pilotes repèrent les positions des armées ennemies. Peu à peu, ils se forment au combat, avec des grenades ou des mitrailleuses. Beaucoup de pilotes meurent quand leur avion est abattu. En 1918, l'aviation militaire est devenue une industrie.

Un conflit mondial

La guerre n'a pas lieu qu'aux frontières de la France. Elle fait aussi rage sur d'autres fronts en Europe et aussi sur la mer. En 1917, les États-Unis entrent en guerre et combattent aux côtés des Français et des Britanniques. Peu à peu, l'armée allemande recule et ses alliés cessent le combat.

Ce biplan français de marque Spad avait un pilote et un mitrailleur.

Tierno s'esclaffe :

– Un Sénégalais sur les routes de France, ça ne passe pas inaperçu… Mais en plus, s'il a une gamine sur les bras…

Gabrielle l'interrompt :

– Premièrement, je ne suis plus une gamine, j'ai 12 ans. Deuxièmement, je ne serai pas sur vos bras, mais sur le porte-bagage du vélo. Troisièmement, vous avez fait une promesse à Marcel, vous devez la tenir.

Le grand Noir examine Gaby qui se tient bien droite, les bras croisés sur la poitrine. Enfin, il soupire et murmure :

– Je vois qu'en France, c'est comme en Afrique : les femmes ont le dernier mot. Il va nous falloir beaucoup de chance dans cette expédition !

Gabrielle comprend qu'elle a gagné. Elle passe derrière Tierno et murmure :

– Fermez les yeux.

De la poche de son tablier, elle sort la poupée Nénette et l'attache au cou de Tierno :

– Nénette nous portera chance, n'est-ce pas ?

L'homme se lève, saisit la fillette sous les bras et la fait tournoyer :

– Mais oui, gazelle ! Tu as raison ! Pour commencer, tu vas me tutoyer comme si j'étais ton grand frère. D'accord ?

– D'accord, tu seras mon grand frère noir !

Et pour sceller leur accord, Gaby embrasse Tierno sur ses scarifications*.

Quelques heures plus tard, le vélo s'éloigne de la ferme, en longeant le canal du Midi. Les grands platanes des berges protègent les deux complices. Les bras serrés

* *Tatouages rituels gravés dans la peau.*

autour de son protecteur, Gaby ferme les yeux, tout heureuse à l'idée de retrouver Marcel. Tierno lui explique son plan :

– Nous allons nous cacher près de la gare d'Agen. Cette nuit, on grimpera dans un wagon qui part vers le nord.

CHAPiTRE 4

ANGÈLE

Tierno a étalé une botte de paille sur le sol du wagon de marchandises. Gabrielle s'y est allongée et essaie de trouver le sommeil. Mais trop de questions se bousculent dans sa tête. Sentant son inquiétude, l'ancien soldat la rassure :

– Ne t'inquiète pas Gabrielle, je connais quelqu'un au Crotoy.

– Ah oui ?!

– Là-bas, j'ai été soigné par une infirmière très gentille, Angèle. Elle nous aidera à retrouver Marcel.

Un peu rassurée, la fillette se recroqueville contre Tierno et s'endort bercée par les cahots du train.

Trois jours plus tard, Gabrielle est postée devant l'hôpital du Crotoy. Elle interroge une infirmière qui entre dans le bâtiment :

– Bonjour madame. Connaissez-vous Angèle ?

– Angèle, quelle Angèle ?

– Elle travaillait ici pendant la guerre. Elle a soigné mon… mon frère, explique Gaby.

– Ah oui, Angèle…, se souvient l'infirmière. Angèle Jacquet, c'était une bénévole. Après la guerre, elle a repris son métier de couturière.

– Vous savez où elle habite ?

– Elle logeait près de l'école, je crois…

– Merci madame ! lance Gaby qui détale aussitôt.

Un peu plus tard, le vélo s'arrête devant une maisonnette de briques rouges. Tierno hésite :

– Tu crois que c'est là ?

– Mais oui, regarde ! C'est marqué Jacquet sur la boîte aux lettres, montre Gabrielle.

Elle l'entraîne vers la maison et frappe à la porte. Un petit garçon ouvre. En découvrant deux inconnus, il repart en criant :

– Maman !

Une jeune femme rousse surgit avec le garçonnet dans ses bras :

– Monsieur Tierno ! Quelle surprise !

– Bonjour madame Angèle. Je vous présente Gabrielle.

– Entrez tous les deux. On sera mieux au chaud pour discuter.

Quand Tierno a fini de raconter leur histoire, Angèle pose sa main sur celle de Gabrielle et lui dit :

– Une de mes clientes vit à la caserne. Elle m'a parlé d'un commandant qui recense les soldats disparus. On va aller le voir… Mais je ne te promets rien.

– Oh merci madame ! s'écrie Gabrielle en sautant au cou d'Angèle.

– En attendant, je vais vous installer dans la chambre d'André, mon petit garçon. Il dormira avec moi.

– On ne voudrait pas vous déranger, madame Angèle, glisse Tierno, un peu gêné.

– C'est de bon cœur, vous savez ! Depuis que mon mari est mort à la guerre, je travaille sans cesse et ça me fait plaisir d'avoir du monde à la maison.

Deux jours plus tard, Gabrielle et Angèle se retrouvent face à un petit homme à la barbe poivre et sel, le commandant Merville. Il écoute leur requête puis demande à Gabrielle :

suite page 34

LA PLACE DES FEMMES

L'arrière

On appelle ainsi tout le reste du pays qui n'est pas «au front». Comme tous les hommes sont partis faire la guerre, les femmes doivent remplacer les paysans, les ouvriers, les instituteurs, les commerçants… Peu à peu, leur place dans la société change.

Aux champs et en ville

À la campagne, elles font tous les travaux des champs. Elles doivent même s'atteler à la charrue à la place du cheval réquisitionné. Les enfants les aident après l'école. En ville, elles exercent des métiers qui étaient réservés aux hommes : elles conduisent des taxis, des tramways, elles sont employées dans les banques…

Dans les usines

Les usines fabriquent en grande quantité des obus, des casques, des fusils. Beaucoup de femmes y travaillent parfois dix heures par jour. On les appelle les «munitionnettes».

Les restrictions

À l'arrière, la vie est difficile. En temps de guerre, tout manque : le pain, le sucre, la viande… L'hiver 1917 est particulièrement froid et les récoltes sont mauvaises : même les pommes de terre gèlent. On fait des heures de queue pour acheter un sac de charbon qui permettra de se chauffer.

Les infirmières et les marraines

Plus de 70 000 femmes partent au front avec la Croix-Rouge pour soigner les blessés. Beaucoup d'infirmières sont des bénévoles. D'autres femmes, appelées marraines de guerre, réconfortent les soldats en leur envoyant des colis et des lettres.

Ces deux infirmières attendent des blessés transportés en train.

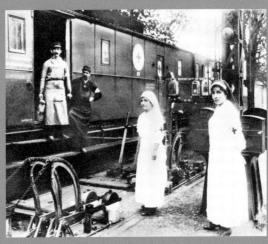

– Quel est le nom de votre frère, mademoiselle ?

– Marcel Delfayet, répond la fillette. Il était soldat dans le 170ᵉ régiment d'infanterie.

– On perd sa trace dans le tunnel de Longueau, ajoute Angèle. J'ai soigné un ami de Marcel qui était dans le même train.

– Ah oui ! Ce tunnel n'a été dégagé que récemment, dit le commandant en se levant. Attendez-moi, je vous prie.

Il sort et revient peu après. Il guide Gaby et Angèle dans un dédale de couloirs et les fait entrer dans une pièce sombre.

Un soldat aligne sur une longue table un bric-à-brac hétéroclite qu'il sort d'une grande caisse. Le commandant Merville explique :

– Voici les objets recueillis dans le tunnel de Longueau. Si vous trouvez quelque chose ayant appartenu à votre frère, dites-le à ce soldat. Mademoiselle, je vous souhaite bonne chance !

Et le commandant quitte la salle en laissant Gabrielle pétrifiée. Angèle la prend doucement par les épaules et toutes deux s'approchent de la table.

suite page 38

LES UNIFORMES DE LA GRANDE GUERRE

Voici les tenues des fantassins venus d'Europe, d'Afrique
ou d'Amérique. Ils ont combattu à pied, dans le nord
de la France, entre 1914 et 1918.

 **1. Le fantassin allemand (1914)** porte un casque à pointe.

 **2. Le fantassin belge (1914)** porte un couvre-chef appelé shako.

 **3. Le fantassin écossais (1914)** porte le kilt caché par un tablier.

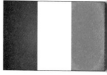 **4. Le tirailleur sénégalais* (1914)** porte un bonnet rouge, la chéchia.

* *À cette époque, le Sénégal et l'Algérie sont des colonies françaises.*

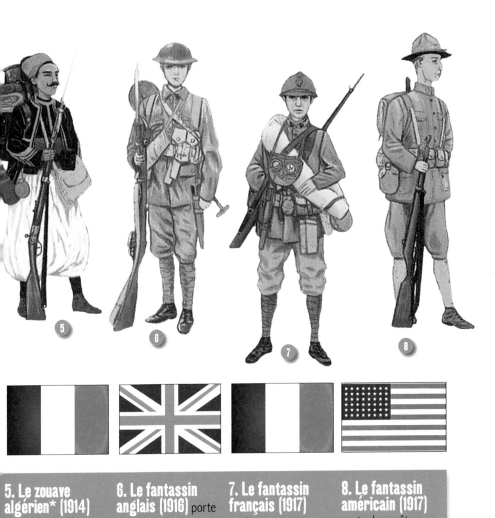

5. Le zouave algérien* (1914) porte un pantalon ample, le sarouel.

6. Le fantassin anglais (1916) porte une tenue marron, couleur de terre.

7. Le fantassin français (1917) porte un casque en acier.

8. Le fantassin américain (1917) porte des guêtres contre la boue.

Médusées, elles contemplent des montres cassées, des gobelets cabossés, des lettres jaunies, des clés rouillées, des gourdes écrasées… La fillette se décide à saisir un briquet et à regarder si elle y trouve les initiales de Marcel. Non. Ce quart en métal ? Non. Puis elle ouvre l'un après l'autre les portefeuilles étalés. De l'un d'eux s'échappe une petite photo aux bords dentelés.

Gabrielle la contemple et, tremblante, elle murmure :

– Angèle, regardez ! C'est Marcel en communiant. Et là, c'est moi. J'avais 4 ans.

Angèle prend le portefeuille et le donne au soldat assis au bout de la table :

– Sergent, pouvez-vous nous dire où a été trouvé ceci ?

Le soldat regarde le numéro inscrit sur le portefeuille et tourne les pages d'un grand registre. Puis il relève la tête et annonce d'une voix sourde :

– Près du corps d'un soldat mort.

Gabrielle se jette dans les bras d'Angèle et éclate en sanglots.

CHAPiTRE 5

RiNTiNTiN

Les jours suivants, Gabrielle est prise d'une forte fièvre et reste au lit. Tierno la veille jour et nuit et lui fait boire les tisanes préparées par Angèle.

Un matin, Gaby quitte la chambre sans bruit pour ne pas réveiller Tierno, endormi dans le fauteuil. Guidée par le cliquetis de la machine à coudre, elle trouve Angèle en train de confectionner un manteau. André, qui jouait avec ses soldats de plomb, court vers Gabrielle :

– Tu n'es plus malade ? Je suis bien content de te voir.

– Tu vas mieux, ma grande ? demande Angèle en souriant.

– J'ai un peu faim…

– Voilà qui est bon signe ! Je te prépare des tartines.

André regarde Gaby déjeuner et lui demande :

– Tu pourrais me faire un grigri comme celui de Tierno ?

Gaby accepte, amusée par les yeux suppliants du petit garçon. Avec une pelote de laine grise et une paire de ciseaux prêtée par Angèle, elle fabrique un petit personnage qu'elle offre à André :

– Tiens, voici Radadou ! C'est le bébé de Nénette. Il te portera bonheur.

Ravi, le garçon montre son grigri à Angèle qui s'exclame :

– Bravo Gabrielle ! Allez, mon Dédé, va mettre ton paletot. J'ai une livraison à faire et je te dépose chez la voisine.

Le soir, à son retour, l'enfant se précipite vers Gabrielle :

– C'est pour toi.

Gabrielle découvre une figurine en pain d'épice. Elle sourit en voyant qu'il lui manque un pied.

– J'en ai mangé un petit bout, avoue André, mais tu as vu sa belle coiffure ?

Retournant le gâteau, Gaby découvre qu'il représente une petite Alsacienne avec une coiffe faite en sucre et une cocarde tricolore. Gabrielle devient toute blanche :

– Qui t'a donné ça, André ?

– Ben, c'est Yvonne, la voisine !

Gabrielle se tourne vers Angèle et Tierno :

– Marcel adorait faire de la pâtisserie. Il me fabriquait souvent cette figurine, avant la guerre…

Aussitôt, Angèle conduit Gabrielle et Tierno chez sa voisine. Yvonne est blanchisseuse :

– Je travaille pour une institution religieuse. Les sœurs vendent ces figurines en pain d'épice au profit des orphelins de guerre.

– Vous savez qui fait ces gâteaux ? demande Gaby pleine d'espoir.

– Aucune idée ! Mais je peux vous conduire là-bas.

– Allez-y tous les trois, décide Angèle. Moi je reste ici avec André.

Les voilà partis ! Sur sa bicyclette, Yvonne a du mal à suivre Tierno qui pédale comme un fou. Installée sur le porte-bagage, Gabrielle serre très fort la taille de son ami. Tous les deux partagent le même espoir et la même crainte : si Marcel est vivant, pourquoi n'est-il pas rentré chez lui ? Tierno sent le désarroi de la fillette et l'encourage :

– Courage ma gazelle ! Ce n'est pas le moment de flancher.

suite page 44

UN BILAN TERRIBLE

11 novembre 1918

Ce jour-là, le cessez-le-feu est signé : c'est l'armistice.
L'Allemagne a perdu la guerre : elle doit évacuer
la Belgique, l'Alsace-Lorraine, la rive gauche du Rhin.
Elle perd ses colonies et sa flotte. Elle doit payer
de lourdes indemnités aux vainqueurs.

10 millions de morts

C'est le nombre de soldats tués pendant cette guerre.
Beaucoup étaient très jeunes. 40 millions d'hommes
ont été gravement blessés, beaucoup ont été gazés
ou mutilés. Certains sont devenus fous ou amnésiques.

760 000 orphelins

C'est le nombre d'enfants
français qui ont perdu leur
père à cause des combats.

1 699 communes détruites

Certains villages n'ont
jamais été reconstruits.
Ils étaient situés dans la
région de Verdun ou dans
la Somme, là où ont eu lieu
les bombardements
les plus terribles.

36 550 monuments aux morts

Après la guerre, chaque
commune française a fait
dresser un monument aux
morts. Dessus, on peut
lire les noms des habitants
tués pendant la guerre.

1 « soldat inconnu »

Il est enterré sous l'Arc
de triomphe, à Paris. Il
représente tous les morts
de la guerre dont les corps
n'ont pas été retrouvés ou
identifiés.

*Chaque 11 novembre, on
dépose des fleurs devant
le monument aux morts, pour
se souvenir des soldats tués.*

Quand ils arrivent à l'institution, la mère supérieure les reçoit :

– Pendant la guerre, nous avons accueilli beaucoup de blessés. Une fois guéris, ils sont rentrés chez eux. Mais certains n'ont pas pu : ils étaient devenus fous ou amnésiques*. C'est le cas du jeune homme qui fabrique les sujets en pain d'épice.

– Pouvons-nous le voir ? demande Tierno.

– Bien sûr ! répond la sœur. Suivez-moi.

Dans le jardin, un jeune homme au crâne rasé dessine sur un cahier d'écolier. Il sourit à Gabrielle et Tierno :

* *Une personne amnésique a perdu la mémoire.*

– Bonjour ! C'est gentil de me rendre visite.

Gabrielle regarde Tierno. C'est bien Marcel qui est là devant eux, mais il ne les reconnaît pas !

Alors Tierno s'agenouille devant Marcel et lui montre Nénette, qui pend à son cou :

– Bonjour mon ami. Tous les deux, nous nous étions promis de rapporter deux poupées à cette demoiselle, dit-il en désignant Gabrielle.

– Je ne me souviens pas de cette promesse, mais j'ai aussi sur moi un fétiche auquel je tiens beaucoup. Je crois bien qu'il m'a sauvé la vie.

Et Marcel sort de sa poche une poupée de laine jaune, Rintintin.

Épilogue

Marcel est rentré chez lui avec Gabrielle et il a retrouvé peu à peu la mémoire. Un an plus tard, le frère et la sœur sont retournés au Crotoy pour assister au mariage d'Angèle et Tierno. Gabrielle offrit aux mariés deux poupées de laine, l'une rousse, l'autre noire. Pour la cérémonie, André portait fièrement Radadou, épinglé au revers de sa veste.

Retrouve les collections Images doc en librairie !

Les romans Images Doc Des histoires pour raconter l'Histoire

Les encyclopédies Images Doc Pour découvrir l'Histoire et ceux qui l'ont faite

Nouveauté  400 pages pour voyager au cœur de l'histoire des hommes

Le magazine de la découverte qui stimule la curiosité

Histoire

Sciences

Animaux

Monde

Nature

DANS LA MÊME COLLECTION

La véritable histoire de Titus,
le jeune Romain gracié par l'empereur

....

La véritable histoire de Myriam,
enfant juive pendant la Seconde Guerre mondiale

....

La véritable histoire de Paulin,
le petit paysan qui rêvait d'être chevalier

....

La véritable histoire de Neferet,
la petite Égyptienne qui sauva le trésor du pharaon

....

La véritable histoire de Pierrot,
serviteur à la cour de Louis XIV

....

La véritable histoire de Louise,
petite ouvrière dans une mine de charbon

....

La véritable histoire de Yéga,
l'enfant de la préhistoire qui aimait les chevaux

....

La véritable histoire de Timée,
qui rêvait de gagner aux jeux Olympiques

....

La véritable histoire de Thordis,
la petite Viking qui partit à la découverte de l'Amérique

....

La véritable histoire de Jules,
jeune tambour de l'armée de Napoléon

....

La véritable histoire de Margot,
petite lingère pendant la Révolution française

....

La véritable histoire de Diego,
le jeune mousse de Christophe Colomb

....

La véritable histoire de Bartholomé,
le petit bâtisseur de cathédrales

....

La véritable histoire de Livia,
qui vécut les dernières heures de Pompéi